Branca Alves de Lima

Caminho Suave

1º LIVRO
Comunicação e Expressão

37ª EDIÇÃO

© Direitos autorais reservados
(das técnicas associativas, dos desenhos e dos textos)

Caminho Suave
edições

Copyright desta edição © 2015 by Edipro Edições Profissionais Ltda.

Todos os direitos reservados. Nenhuma parte deste livro poderá ser reproduzida ou transmitida de qualquer forma ou por quaisquer meios, eletrônicos ou mecânicos, incluindo fotocópia, gravação ou qualquer sistema de armazenamento e recuperação de informações, sem permissão por escrito do editor.

Grafia conforme o Novo Acordo Ortográfico da Língua Portuguesa.

37ª edição, 2ª reimpressão 2023.

Créditos da edição original

Ilustrações da capa: Eduardo Carlos Pereira (Edú)
Ilustrações dos textos: Léo Angelo Sperandio
Diagramação: Branca Alves de Lima

Créditos desta edição

Editores: Jair Lot Vieira e Maíra Lot Vieira Micales
Coordenação editorial: Fernanda Godoy Tarcinalli
Produção editorial: Carla Bitelli
Revisão: Carla Bitelli, Fernanda Godoy Tarcinalli e Francimeire Leme Coelho
Adaptação de capa: Aniele de Macedo Estevo, Balão Editorial e Karine Moreto de Almeida
Diagramação e arte: Balão Editorial, Heloise Gomes e Karine Moreto de Almeida
Impressão: Gráfica Grafilar

Dados Internacionais de Catalogação na Publicação (CIP)
(Câmara Brasileira do Livro, SP, Brasil)

Lima, Branca Alves de, 1911-2001.

Caminho Suave : 1º Livro : Comunicação e Expressão / Branca Alves de Lima; [ilustrações de Eduardo Carlos Pereira [Edú] e Léo Angelo Sperandio]. – São Paulo: Caminho Suave Edições, 2015.

ISBN 978-85-89987-34-9

1. Comunicação e expressão (Ensino fundamental) I. Pereira, Eduardo Carlos. II. Sperandio, Léo Angelo.

14-10136   CDD-372.6

Índice para catálogo sistemático:
1. Comunicação e expressão :
Ensino fundamental : 372.6

Caminho Suave edições

São Paulo: (11) 3107-7050 • Bauru: (14) 3234-4121
www.caminhosuave.art.br • edipro@edipro.com.br
@editoraedipro @editoraedipro

Meu amiguinho,

Minha amiguinha,

Um livro novo aqui está.

É o Primeiro Livro "Caminho Suave".

Você vai se encontrar com a família de Fábio, Didi e Bebê.

Vai ler histórias de animais, filhotes e plantinhas.

O livro é seu! Divirta-se!

                                         Um abraço da

                                                Autora

ÍNDICE

A família 9	A manha de Bebê 63
O papai e a mamãe 11	Jogando pião 65
Os filhos 14	O gatinho e o gatão 68
O vovô e a vovó 16	O desobediente 71
Zazá 18	Passeio ao clube 74
O titio, a titia e os primos 21	Os desenhos de Fábio 77
Totó 23	Corrida de patins 80
Mimi e o Mico 26	Vida no sítio 82
O rato e o gato 29	As gêmeas 84
O xale da vovó 32	Passarinho assobiador 86
As azeitonas 34	As roseiras de Dona Cecília 88
Feriado 36	Ida à cidade 90
Bebê não é bobo! 39	Lendo histórias 93
A galinha 42	O aniversário da vovó 96
O coelhinho 44	Fim de ano 98
O caqui 47	Exposição 100
A escola 49	O rato atrapalhado 102
Dia da árvore 52	O pintinho 104
Competição de bandas 55	Os três porquinhos 107
As laranjas 58	Férias 110
Amigo fiel 60	*Referências* 112

SUMÁRIO

PÁGINA	LIÇÃO	SEQUÊNCIA ORTOGRÁFICA	SISTEMATIZAÇÃO GRAMATICAL	REDAÇÃO (Expressão escrita)
9	1. A família	Palavras do texto	Vogais	Completar orações
11	2. O papai e a mamãe	Revisão de vogais ba be bi bo bu la le li lo lu	Exercício estrutural Alfabeto minúsculo e maiúsculo	Ordenar orações
14	3. Os filhos	da de di do du la le li lo lu	Consoantes	Ordenar oração
16	4. O vovô e a vovó	va ve vi vo vu ja je ji jo ju	Exercício estrutural	Elaborar orações com palavra dada
18	5. Zazá	fa fe fi fo fu ga go gu	Palavras quanto ao número de sílabas	Completar orações com palavras dadas
21	6. O titio, a titia e os primos	ta te ti to tu pa pe pi po pu	Separar palavras de acordo com a consoante inicial	Elaborar orações baseadas em imagens
23	7. Totó	na ne ni no nu ca co cu	Nomes (substantivos)	Ordenar orações Composição dirigida
26	8. Mimi e o Micc	ma me mi mo mu sa se si so su	Ligar palavras masculinas e femininas Nomes comuns	Composição dirigida
29	9. O rato e o gato	"r" no início da palavra	Nomes próprios Exercício estrutural com o verbo "**estar**"	Completar orações de uma história
32	10. O xale da vovó	xa xe xi xo xu	Síntese silábica	Elaborar orações baseadas em imagens
34	11. As azeitonas	za ze zi zo zu	Antônimos	Elaborar orações com palavras dadas

PÁGINA	LIÇÃO	SEQUÊNCIA ORTOGRÁFICA	SISTEMATIZAÇÃO GRAMATICAL	REDAÇÃO (Expressão escrita)
36	12. Feriado	"r" inicial "rr" "r" brando	Masculino e feminino	Ordenar orações Composição dirigida
39	13. Bebê não é bobo		Masculino e feminino	Completar orações com palavras dadas Ordenar orações
42	14. A galinha	cha che chi cho chu	Exercício estrutural com o verbo "estar"	Copiar orações completando palavras com "nh"
44	15. O coelhinho	nha nhe nhi nho nhu	Exercício estrutural com o verbo "ser"	Composição dirigida baseada em imagem
47	16. O caqui	lha lhe lhi lho lhu Revisão dos dígrafos: ch nh	Análise e síntese silábica	Elaborar orações com palavras dadas
49	17. A escola	qua que qui	Singular e plural Análise e síntese silábica	Contar uma história baseada em imagem
52	18. Dia da árvore	as es is os us	Qualidades (adjetivos)	Composição baseada em sequência de imagens
55	19. Competição de bandas	ar er ir or ur	Revisão de antônimos	Composição dirigida por questionário
58	20. As laranjas	"m" antes de "b" e "p" e no fim de palavras	Revisão de qualidades	Responder questionário
60	21. Amigo fiel	"n" no fim da sílaba	Ação	Ordenar orações Responder questionário
63	22. A manha de Bebê	al el il ol ul ã ãs	Revisão a critério do professor	Responder questionários

PÁGINA	LIÇÃO	SEQUÊNCIA ORTOGRÁFICA	SISTEMATIZAÇÃO GRAMATICAL	REDAÇÃO (Expressão escrita)
65	23. Jogando pião	ão ões	Plural em "**ão**" "**ões**" Uso do "til"	Composição baseada em sequência de imagem
68	24. O gatinho e o gatão	ãe ães ão ães ão ãos	Exercício estrutural com o verbo "**estar**" Graus dos substantivos	Composição dirigida baseada em imagem
71	25. O desobediente	Encontros de consoantes: br cr dr fr gr pr tr vr	Acentuação	Composição dirigida
74	26. Passeio ao clube	Grupos consonantais: bl cl fl gl pl tl	Revisão: Ação Acentuação	Composição dirigida sobre um passeio
77	27. Os desenhos de Fábio	gua gue gui	Diminutivos Exercício estrutural com o verbo "**ser**"	Formar orações com palavras dadas Composição baseada em imagem
80	28. Corrida de patins	ans ens ins ons uns	Plural de palavras terminadas em "**m**"	Elaborar história com início conhecido
82	29. Vida no sítio	ce ci – se si no início da palavra	Antônimos	Composição criativa com estímulo
84	30. As gêmeas	ge gi je ji	Revisão a critério do professor	Composição criativa
86	31. Passarinho assobiador	ss	Separação de sílabas em palavras com "**ss**"	Elaborar orações baseadas em imagem
88	32. As roseiras de Dona Cecília	"**s**" com **som** de "**z**"	Diminutivo em "**inho**" e "**inha**"	Composição criativa baseada em imagem

PÁGINA	LIÇÃO	SEQUÊNCIA ORTOGRÁFICA	SISTEMATIZAÇÃO GRAMATICAL	REDAÇÃO (Expressão escrita)
90	33. Ida à cidade	ça ço çu	Revisão: diminutivo das palavras terminadas em "ça" e "ço" Análise e síntese silábica	Elaborar orações baseadas em imagens
93	34. Lendo histórias	"h" no início da palavra	Revisão de qualidades Orações afirmativas e negativas Exercício estrutural com o verbo "ter"	Elaborar orações com palavras dadas
96	35. O aniversário da vovó	"x" com som de "cs"	Revisão: Antônimos Oração interrogativa	Composição criativa com estímulo
98	36. Fim de ano	"x" com som de "ss"	Oração exclamativa	Composição dirigida
100	37. Exposição	"x" com som de "s"	Uso da vírgula	Cópia dirigida
102	38. O rato atrapalhado	"x" com som de "z"	Orações: afirmativa, negativa, interrogativa e exclamativa	Interpretação de texto por meio de imagem
104	39. O pintinho	sc	Exercício estrutural com verbo no infinitivo Revisão de diminutivos	Composição criativa baseada em imagens
107	40. Os três porquinhos	"z" no final da palavra	Plural de palavras terminadas em "z" Revisão de pontuação	Redação baseada na lição "Férias" (p. 110)
110	41. Férias	Recuperação das falhas apresentadas no domínio ortográfico	Revisão da matéria apresentada, com vistas à recuperação	Ver sugestão apresentada na lição **40**, item 8 (p. 109)

A família

Você vai conhecer a família de Fábio, Didi e Bebê.

Ela é muito unida:

   o papai e a mamãe;

   e os filhos: Fábio, Didi e Bebê.

O vovô e a vovó moram na mesma casa.

Você vai conhecer também os animais que vivem com a família:

Totó, Mimi e o Mico.*

ESTUDE:

unida – próxima, junta

---

* Bem antigamente, era comum a convivência das famílias com animais silvestres, como o mico.

Atividades

1 – Copie e substitua a ☆ por palavras da lição:

Esta é a família de Fábio,. ☆

Os animais que vivem com a família são: Totó,. ☆

---

2 – Descubra as palavras e copie no seu caderno:

| pai pa | mãe ma | lia mí fa |

---

3 – Copie as palavras no caderno e escreva como começam. Veja o modelo:

abacaxi – a

ele –   ovo –
idade –   uva –

As letras **a - e - i - o - u** chamam-se **vogais**.

---

4 – Complete no seu caderno a oração com uma palavra:

Uma família que está sempre junta é uma família. ☆

---

5 – Desenhe sua família no seu caderno.

O papai e a mamãe

Veja o papai Paulo e a mamãe Cecília.

Eles foram à feira.

Tudo estava muito caro.

Eles só compraram ovos, um abacaxi, uvas e verduras.

Atividades

1 – **Responda no seu caderno:**
   Como se chama o pai de Fábio?
   E a mamãe?
   Onde eles foram?

2 – **Copie e substitua a ☆ de acordo com a lição.**
   Eles só compraram: ☆

3 – **Copie as palavras completando-as com** a :

   p ☐ p ☐ i   m ☐ m ☐ e

4 – **Forme palavras com as letras do quadro. Escreva no seu caderno. Veja o modelo:**

a	i	u	e	o
be	bu	bo	bi	ba

boa

5 – **Copie no caderno e substitua a ☆. Veja os modelos. Releia:**

> Papai e mamãe **estão** na rua.
> Os meninos **estão** na rua.

   Vocês ☆.
   Eles ☆.

6 – **Ordene as palavras e escreva as orações no seu caderno:**
   o papai e mamãe Veja a .
   foram Eles feira à .

7 – Leia e copie o alfabeto minúsculo e o maiúsculo:

🐝	a A / a A	🏐	b B / b B	🏠	c C / c C
👆	d D / d D	🐘	e E / e E	🔪	f F / f F
🦒	g G / g G	👨	h H / h H	⛪	i I / i I
🐊	j J / j J	🥝	k K / k K	🦁	l L / l L
🐒	m M / m M	🚢	n N / n N	🥚	o O / o O
🦢	p P / p P	🧀	q Q / q Q	🐀	r R / r R
🐸	s S / s S	🦔	t T / t T	🍇	u U / u U
🕯️	v V / v V	⛵	w W / w W	▦	x X / x X
🍜	y Y / y Y	🦓	z Z / z Z		

Os filhos

Aqui estão os filhos: Fábio, Didi e Bebê.

Fábio tem sete anos e está no segundo ano.

Edite tem só seis anos. Seu apelido é Didi.

Ela está na pré-escola.

O caçula é o Fabiano.

Todos o chamam de Bebê.

Ele vai fazer dois anos.

ESTUDE:

Pré-escola – que vem antes da escola, hoje chamada Ensino Infantil

Atividades

1 – Copie no seu caderno e complete a explicação:

Pré-escola quer dizer ☆.

2 – Responda no seu caderno:

Quem é o menino?

E a menina?

Eles estão na escola?

Qual o nome do caçula?

3 – Copie as palavras no caderno e escreva a primeira sílaba. Veja:

dado – da
dia
dedo
doce

lata – la
lobo
levado
lima

4 – Você já conhece as vogais.

Leia as consoantes e copie no seu caderno.

b	c	d	f	g	h	j	k	l	m	n
p	q	r	s	t	v	w	x	y	z	

5 – Copie no seu caderno colocando em ordem:

três Os são filhos .

4

O vovô e a vovó

Veja o vovô e a vovó.

O nome dele é Hugo.

O dela é Helena.

Eles estão debaixo da jaqueira.

A jaqueira está carregada de jacas.

Atividades

1 – Copie e complete no seu caderno, de acordo com a lição.

O nome do vovô é ☆.
O nome da vovó é ☆.
Eles estão ☆.

2 – Copie no seu caderno e separe as sílabas. Veja o modelo:

caju – ca - ju

jaca   vaca
jipe   viva
jogo   vovô
jiló   vela

3 – Leia e complete no seu caderno como os modelos. Releia.

> O vovô e a vovó **estão** debaixo da jaqueira.
> Os meninos **estão** debaixo da jaqueira.

Vocês ☆.
Eles ☆.
Todos ☆.

4 – Descubra palavras e escreva no seu caderno.

o	a	u
vi	vo	va

5 – Forme no seu caderno duas orações com a palavra jogo.

5

Zazá

Zazá é a cozinheira.

Ela fala:

— Fábio, toma café com bolo.

— É de fubá?

— É. Ele ficou bem fofo.

— Oba! Me dá uma fatia. Você é uma cozinheira legal!

Atividades

1 – Responda no seu caderno:
   Quem é a Zazá?
   Com quem ela fala?

2 – Copie no seu caderno substituindo a ☆ :
   Fábio toma ☆ com ☆.
   O bolo é de ☆.

3 – Copie da lição palavras com:

| fa | fe | fi | fo | fu |

4 – Copie as palavras no caderno e escreva a primeira sílaba. Veja o modelo:

gato – ga

galo   gaveta
gota   gude
goma   gula

5 – Copie e complete no seu caderno as orações. Veja o modelo:

Fábio e Didi comem bolo.

Papai e mamãe ☆.
Ele e ela ☆.
Vocês ☆.

6 – Desenhe um bolo no seu caderno.

Coloque tantas velas quantos anos você vai fazer.

---

7 – Veja quantas vezes Fábio abriu a boca para falar:

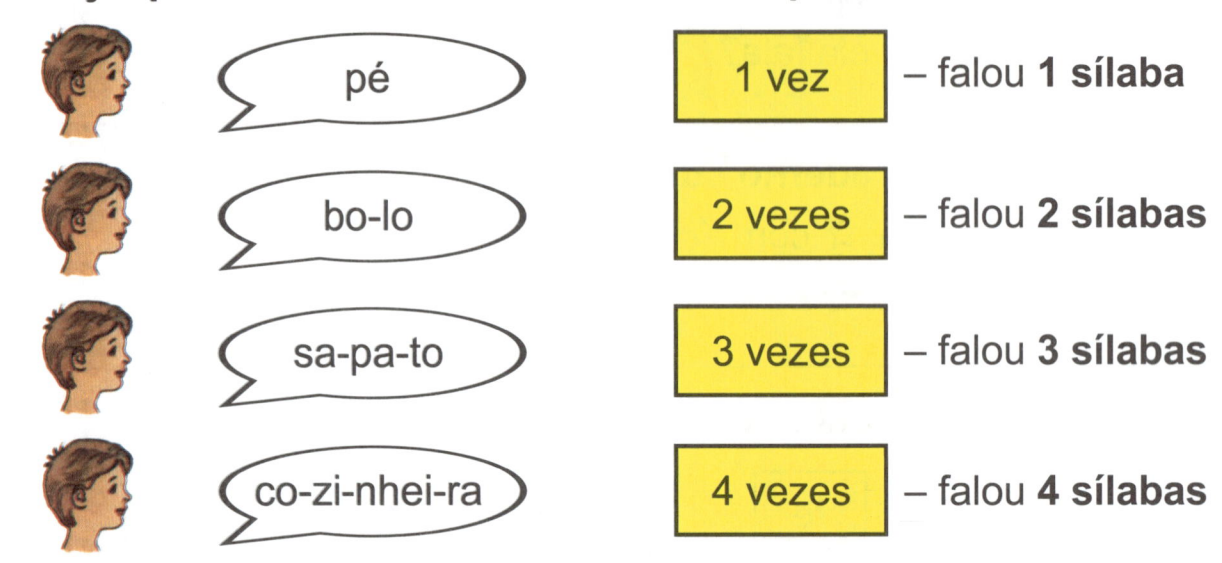

pé — 1 vez — falou **1 sílaba**

bo-lo — 2 vezes — falou **2 sílabas**

sa-pa-to — 3 vezes — falou **3 sílabas**

co-zi-nhei-ra — 4 vezes — falou **4 sílabas**

Você viu que as palavras são formadas de pedacinhos.
Cada pedacinho é uma **sílaba**.

---

8 – Separe as sílabas das palavras no seu caderno. Veja o modelo:

fatia – fa - ti - a

figo   fome   fogo
café   fiado   fubá

---

9 – Copie as orações no caderno e substitua a ☆ por uma das palavras:

fofo   café   fubá

Eu tomei ☆ com leite.
Você comeu o bolo de ☆.
O bolo ficou bem ☆.

O titio, a titia e os primos

Veja os tios de Fábio, Didi e de Bebê.
Tito é o apelido do tio Tiago.
Lili é o apelido da tia Dalila.
Ali estão os primos: Carlito e Lalá.
Eles moram na cidade.

Atividades

1 – Responda no seu caderno:

Qual o nome do tio Tito?

Qual o nome da tia de Fábio e de Didi?

Qual o apelido dela?

Quem são os primos deles?

---

2 – Copie no seu caderno e complete com:

| ta | te | ti | to | tu |

ta ☐   ☐ jolo   la ☐

ra ☐   ☐ mate   lei ☐

---

3 – Copie separando em colunas as palavras que começam com:

p e t

pulo   teia   palito   tina

tábua   panela   pipoca   terra

pepino   tapete   tomate   picolé

---

4 – Escreva no seu caderno uma oração sobre cada desenho:

Totó

Totó é o cachorro de Fábio.

Fábio joga uma banana.

Totó pega a banana na boca e dá a Fábio.

Fábio joga uma caneta.

Totó pega a caneta.

Fábio joga o coco.

Totó não pega o coco.

Ele fica em cacos.

Atividades

1 – Copie e substitua a ☆ por uma palavra:

O cachorro de Fábio é o ☆.
Totó pega a ☆ na boca.
Fábio joga o ☆.
O ☆ fica em ☆.

---

2 – Copie as palavras no caderno e separe as sílabas.
   Veja o modelo:

| cabo – ca - bo |

banana   caco
nabo   cuia
caneca   coco
cano   cubo

---

3 – Tudo tem nome: pessoas, animais e coisas.
   Leia e copie os nomes dos desenhos no caderno:

menino    galo    bola

menina    rato    banana

4 – Copie no caderno e continue de acordo com o modelo:

A bala é de coco.   As balas são de coco.

    A bala é de café.
    A bala é de goma.
    A bala é de caju.
    A bala é de leite.

---

5 – Junte as sílabas e forme palavras no caderno. Veja o modelo:

bo	bi	ba
ta	ca	co
na	ne	no

nabo

Se você achou mais de oito palavras, parabéns!

---

6 – Escreva corretamente no seu caderno:

    coco joga Fábio o .
    o pega Totó não coco .
    cacos fica Ele em .

---

7 – Faça de conta que você tem um cachorro e conte no caderno:

    Que nome tem seu cachorro?
    Você gosta dele? Por quê?
    Vocês costumam brincar juntos?
    O que ele faz?

---

8 – Desenhe no seu caderno o animal de que você mais gosta.

Mimi e o Mico

O gato é o Mimi.

O macaco sabido é o Mico.

Didi dá comida ao gato e ao macaco.*

O macaco come a sua e a do Mimi.

O gato mia:

— Miau... miau...

Didi vê e fala para o Mico sair dali.

Ele sobe no muro e some.

Macaco danado!

A menina dá mais comida ao gato.

> **ESTUDE:**
> **danado** – travesso, levado

---

* Bem antigamente, era comum a convivência das pessoas com animais silvestres, como o mico.

Atividades

1 – Responda no seu caderno:

A quem Didi deu comida?
O que fez o macaco?
O gato ficou sem comer?

---

2 – Copie no seu caderno formando os pares. Veja o modelo:

pato – pata

macaco   boneca
boneco   menina
papai   macaca
menino   gata
gato   mamãe

---

3 – Copie as palavras no seu caderno e complete-as com:

m
- ☐ ico
- ☐ ia
- ☐ iau
- ☐ acaco
- ☐ enina
- ☐ elado

s
- ☐ eu
- ☐ abido
- ☐ alada
- ☐ air
- ☐ obe
- ☐ opa

4 – Veja nomes comuns:

menina – é o nome de qualquer menina.

gato – é o nome de qualquer gato.

loja – é o nome de qualquer loja.

jornal – é o nome de qualquer jornal.

Você viu que: **menina**, **gato**, **loja** e **jornal** são nomes comuns. Escrevem-se com letra **minúscula**.

---

5 – Faça os desenhos no seu caderno e acrescente os nomes:

---

6 – Leia, copie no caderno e complete substituindo a ☆ por **joga** ou **jogam** :

Os meninos **jogam** bola na escola.
O aluno ☆ bola na escola.
As meninas ☆ na escola.
Elas ☆ .

---

7 – Escreva orações sobre o gato Miau:

Onde ele mora?   Como ele brinca?
O que ele come?   Onde ele dorme?

– 28 –

O rato e o gato

Um ratinho roía tudo:
 a roda do carro;
 o remo do papai;
 a roupa de Fábio;
 a rede da vovó.

Fábio ficava com raiva e o rato roía: rique, roque... rique, roque...

Um dia o ratinho viu o gato e parou de roer.

À noite saiu da toca e, rápido como um raio, sumiu na rua.

---ESTUDE:---
rápido – ligeiro
toca – buraco onde certos animais se escondem

Atividades

1 – Copie e complete corretamente no seu caderno:

O rato se escondeu ☆.

| na toca | no balaio | na bota |

Rápido quer dizer ☆.

| devagar | ligeiro | parado |

---

2 – Copie as palavras e circule o que o ratinho não roía.

Veja o modelo:

| remo | raio | roupa | rede |
| (rua) | roda | raiva | rio |

---

3 – Leia:

Didi é o nome de uma menina.

Mimi é o nome de um gato.

Bazar Azul é o nome de uma loja.

"**A Gazeta**" é o nome de um jornal.

Os nomes da menina, do gato, da loja e do jornal são:

nomes próprios

Escrevem-se com letra **maiúscula**.

4 – No seu caderno, escreva nomes próprios para:

um menino    um rio    um cavalo    uma boneca

---

5 – Copie no seu caderno e complete as palavras com:

| ra | re | ri | ro | ru |

☐ to   ☐ da   ☐ lo
☐ co   ☐ ga   ☐ de
☐ mo   ☐ a   ☐ bo

---

6 – Copie no caderno e substitua a ☆ por: está **ou** estão .

O rato **está** na rua.
Eles ☆ na rua.
O gato ☆ na rua.
Elas ☆ na rua.
Vocês ☆ na rua.
Ele ☆ na rua.

---

7 – Escreva no seu caderno a história do ratinho medroso.

Era uma vez ☆.
Ele ☆.
Um gato ☆.
O ratinho ☆.

O xale da vovó

A vovó tem um xale bonito.

Ela colocou o xale numa caixa.

Bebê mexeu na caixa.

A caixa caiu debaixo da cadeira.

Bebê abaixou-se e puxou o xale.

Que menino xereta!

ESTUDE:
xereta – curioso, intrometido

Atividades

1 – Copie e responda no seu caderno:

Onde estava o xale da vovó?
Quem mexeu na caixa?
Onde o xale caiu?

---

2 – Copie completando no seu caderno:

A _____ colocou o _____ numa _____ .

---

3 – Copie completando com: xa xe xi xo xu .

cai ☐   ☐ le   ☐ reta   be ☐ ga
ro ☐   pei ☐   debai ☐   bai ☐

---

4 – Copie no seu caderno juntando as sílabas das palavras.
Veja o modelo:

cai - xa – caixa

pei - xe –   xe - re - ta –
xa - le –   de - bai - xo –

---

5 – Escreva no seu caderno uma oração para cada desenho.

– 33 –

As azeitonas

Fábio dizia:

— Didi, você comeu uma dúzia de azeitonas. Eu comi só uma dezena.

— Não amole! Dezena e dúzia são a mesma coisa!

— Você está enganada! Uma dezena são dez e uma dúzia são doze. Dê-me o pote. Quero mais duas azeitonas.

Mas o pote estava vazio.

ESTUDE:

dezena – são dez elementos
dúzia – são doze elementos

Atividades

1 – Responda no seu caderno:

Quantas azeitonas Didi comeu?

E Fábio?

Quem comeu mais azeitonas? Por quê?

---

2 – Copie no seu caderno ligando corretamente:

A dezena tem   12 elementos
A dúzia tem   10 elementos

---

3 – Copie no seu caderno completando com ⬜z⬜:

do ⬜ e   va ⬜ ia   a ⬜ eite   a ⬜ eitona
dú ⬜ ia   ⬜ angado   bu ⬜ ina   nature ⬜ a

---

4 – Leia:

O pote está vazio.   O pote está cheio.

Vazio é o contrário de **cheio**.

Escreva no seu caderno o contrário de:

| feio | duro | cheio |

---

5 – Forme no seu caderno orações com as palavras:

| pote | dúzia | azeitonas |

Feriado

Mamãe e vovó arrumam tudo.

Fábio corre ajudando.

Sábado é feriado e a família vai para o sítio.

A roda do carrinho de Bebê cai e o garoto berra.

Fábio já está biruta.

O menino remexe numa caixa amarela de madeira.

Pega um alicate e, rápido, coloca a roda no carro.

Bebê ri animado e o ruído acaba.

---ESTUDE:---
biruta – inquieto, amalucado
ruído – barulho

Atividades

1 – Responda no seu caderno:

Para onde vai a família?
Por que Bebê está berrando?
Ele parou de berrar. Por quê?

---

2 – Copie no caderno trocando a ☆ pelo que quer dizer. Veja o modelo:

> Fábio correu **rápido** na rua.
> Fábio correu **ligeiro** na rua.

Ele ficou **biruta**.
Ele ficou ☆.

O **ruído** acabou.
O ☆ acabou.

---

3 – No seu caderno, copie as palavras completando com:

r no início	rr	r brando
☐ ápido	be ☐ a	madei ☐ a
☐ emexe	co ☐ e	ama ☐ ela
☐ oda	ca ☐ o	fe ☐ iado
☐ uído	ca ☐ inho	ga ☐ oto
☐ ico	a ☐ uma	bi ☐ uta
☐ ede	de ☐ uba	ca ☐ eta

4 – Leia:

O moço

A moça

O macaco

A macaca

O coelho

A coelha

O porco

A porca

---

5 – Copie no seu caderno formando pares. Veja o modelo:

> **o pai – a mãe**

o vovô   a irmã
o irmão   a gata
o titio   a vovó
o gato   a titia

---

6 – Copie na ordem certa no seu caderno:

tudo arrumam a vovó e mamãe A.
ajudando corre Fábio.

---

7 – Conte o que você faz num feriado.

Comece desde a manhã até à noite.

Bebê não é bobo!

Bebê está muito levado!
Joga pela janela tudo o que acha:

    o chocalho e a chupeta;
    o chinelo da titia;
    o chapéu do vovô.

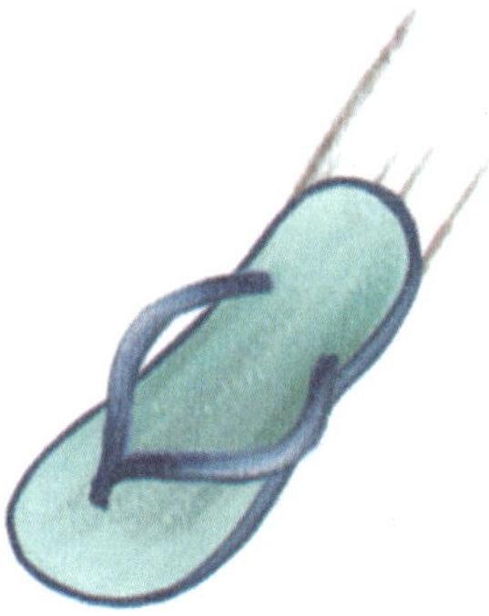

Didi dá uma bolacha a Bebê.
A bolacha ele come.
Bebê não é bobo!

Atividades

1 – Responda no seu caderno:

O que Didi dá ao Bebê?

O que ele faz com a bolacha?

---

2 – Copie e lace o que Bebê joga pela janela:

a chupeta

a bolacha

o chapéu

o chocalho

o chinelo

---

3 – Copie e complete no seu caderno:

O gato    A ☆

O rato    A ☆

O cachorro    A ☆

O pato    A ☆

O galo    A ☆

4 – Copie no seu caderno. Complete as palavras com ch :

☐iquinho procurou sua galinha.

Ela se ☐ama ☐oca.

☐iquinho usa um ☐apéu de palha.

Ele a☐ou a ☐oca ☐ocando dez ovos.

---

5 – Copie corretamente separando as palavras. Veja os modelos:

Masculinas	Femininas
galo	**galinha**

gato   porco   pato   cachorro
vaca   cachorro   boi   porca
pata   peru   gata   perua

---

6 – Copie as orações substituindo a ☆ pela palavra certa:

chapéu   chinelo   bolacha   chupeta

Bebê jogou a ☆ pela janela.

A ☆ ele comeu.

O ☆ é da Lilia.

Vovô tem um ☆.

---

7 – Ordene no seu caderno as orações:

não Bebê bobo é .

joga pela tudo Ele janela .

come A Bebê bolacha .

14

A galinha

A família foi passar o sábado e o domingo no sítio.

Ao chegar, Didi foi logo ver sua galinha no galinheiro.

Ela estava no ninho.

— Fábio! Veja só! A Catita tem uma ninhada de oito pintinhos.

— Que beleza, Didi! Eles são amarelinhos como gema de ovo.

Didi quis pegar um pintinho, mas levou uma bicada da galinha.

---ESTUDE:---
ninhada – aves ou ovos em um ninho

Atividades

1 – Copie e complete com a palavra certa:

Didi foi ver sua ☆.
A galinha está no ☆.
Didi quis pegar um ☆.
Ela achou uma ☆ de pintinhos.
Os pintinhos são ☆.

2 – Coloque na ordem certa e copie as palavras no seu caderno:

nha li ga	da ca bi
da nha ni	ti pin nho

3 – Copie no seu caderno.
Complete com **estava** ou **estavam** :

A galinha ☆ choca.
Os pintinhos ☆ no galinheiro.
Eles ☆ debaixo da galinha.
A galinha ☆ arrepiada.

4 – Copie no seu caderno. Complete as palavras com nh :

A gali☐a entrou no gali☐eiro.
Subiu no ni☐o e ficou quieti☐a.
De repente, um pinti☐o piou.
Dorinha veio ver a ni☐ada.
Os pinti☐os são amarelos e fofi☐os.

5 – Desenhe uns pintinhos para a galinha.

15

O coelhinho

Fábio e Didi foram ver a coelheira. Ela está cheia de palha e é coberta de telhas.

Ali há coelhos brancos, malhados e cinzentos.

— Olhe como aquele coelhinho é orelhudo e tem os olhos bem vermelhos! – falou Didi.

— Ele está comendo milho e repolho – disse Fábio. – Vamos, Didi. A mamãe chamou.

---ESTUDE:---
coelheira – lugar onde se criam coelhos
malhado – que tem malhas ou manchas

Atividades

1 – Leia na lição e copie no caderno completando corretamente:

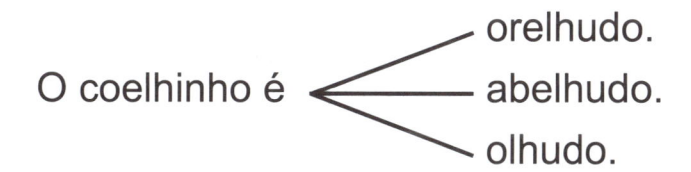

Fábio e Didi foram ver
- o velhinho.
- a coelheira.
- a abelha.

O coelhinho é
- orelhudo.
- abelhudo.
- olhudo.

---

2 – Responda no seu caderno:

Como se chama o lugar onde se criam coelhos?

---

3 – Copie no seu caderno e complete com a palavra certa:

> Quem tem pintas é **pintado**.

Quem tem malhas é ☆.

---

4 – Junte as sílabas e escreva palavras no seu caderno:

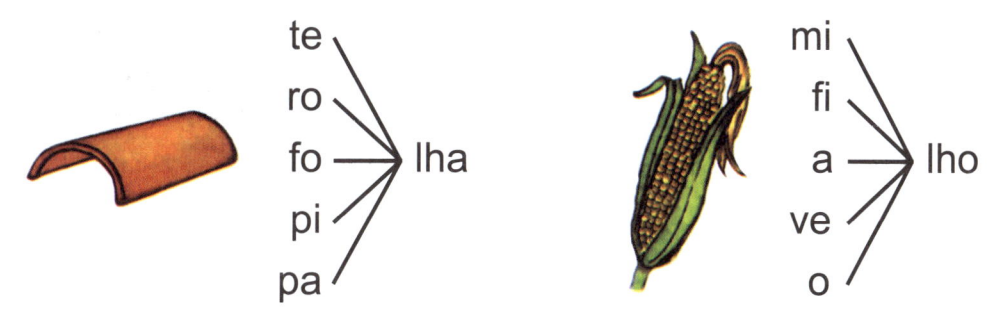

te, ro, fo, pi, pa → lha

mi, fi, a, ve, o → lho

5 – Copie e complete estas palavras no seu caderno:

fo ☐   ☐ peta

☐ ve   gali ☐

gati ☐   te ☐

---

6 – No seu caderno, complete as orações com `é` **ou** `são` :

O coelhinho ☆ branco.

Seus olhos ☆ vermelhos.

Ele ☆ orelhudo.

Fábio e Didi ☆ irmãos.

Eles ☆ muito amigos.

---

7 – Conte em seu caderno:

O nome do animal.

Como ele é.

Onde ele vive.

O que ele está fazendo.

Invente um nome para a história.

O caqui

No quintal há um caquizeiro de boa qualidade.

Está cheio de caquis maduros.

Fábio quer levar quatro deles para a cidade.

Cutuca rápido uma fruta porque a família já está no jipe.

Quase derruba uma delas, mas a taquara é pequena.

De repente, um caqui daquele tamanho cai no queixo dele.

— Ai! Ai! Ai! Como dói!

— Apanhasse os caquis mais cedo! – fala o papai.

Atividades

1 – Copie e marque x antes das orações certas:

No quintal há um coqueiro.
Fábio foi apanhar caquis.
A taquara era de boa qualidade.
O caqui caiu no queixo dele.

---

2 – Copie no seu caderno as palavras, assinalando as da lição:

taquara	caqui	queria
quase	caquizeiro	queixo
qualidade	quintal	pequena
quatro	quis	daquele

---

3 – Separe as sílabas das palavras e torne a juntar.
Veja o modelo:

qualidade – qua - li - da - de – qualidade

taquara –
pequena –
caqui –

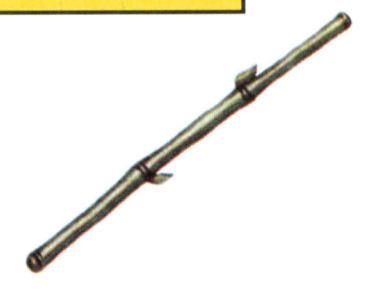

4 – No seu caderno escreva orações com as palavras:

| taquara | pequeno | queijo | caqui |

– 48 –

A escola

A família voltou do sítio.

As aulas recomeçaram.

Fábio e Didi gostam da escola.

Já estavam com saudades dos colegas.

Os meninos e as meninas estão no pátio.

Parece que vai haver festa.

— Blem! Blem! Blem!

Os alunos formam filas. Vão para as salas de aula.

A professora de Didi é Dona Estela.

A de Fábio chama-se Dona Augusta.

ESTUDE:
recomeçaram – começaram de novo

Atividades

1 – Leia, copie e complete no seu caderno:

As aulas de Didi **recomeçaram**.

Recomeçaram é o mesmo que ☆.

---

2 – Responda no caderno, copiando a pergunta:

De onde voltou a família?

Onde estão os alunos?

Quem é a professora de Didi?

Como se chama a professora de Fábio?

---

3 – Copie no seu caderno. Complete as palavras com s :

pa☐ta   ro☐ca   po☐te   ve☐tido

ce☐ta   fe☐ta   e☐cada   e☐piga

---

4 – Copie e complete no seu caderno. Veja o modelo:

A menina   As meninas

O caqui 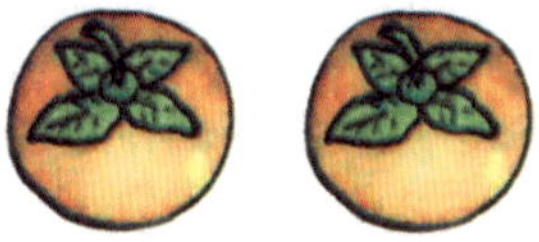   Os ☆

A taquara    As ☆

A espiga   As ☆

O vestido   Os ☆

5 – Copie no seu caderno, separando e juntando as sílabas:
Veja o modelo:

> escada – es - ca - da – escada

escola
cesta
festa
mosquito
vestido

6 – Junte as sílabas e forme palavras no seu caderno:

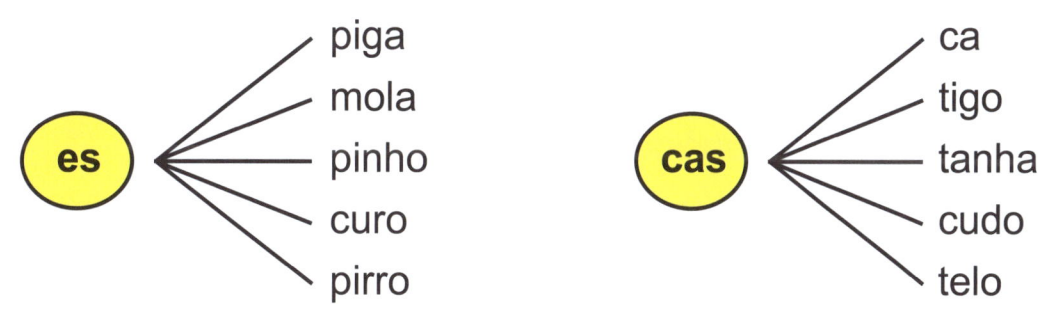

es
- piga
- mola
- pinho
- curo
- pirro

cas
- ca
- tigo
- tanha
- cudo
- telo

7 – Olhe o desenho e conte uma história.

18

Dia da árvore

Os alunos estão reunidos no jardim da escola.

É dia 21 de setembro. Comemoram o "Dia da árvore" e o início da primavera.

O diretor falou sobre a data.

Disse que a árvore é muito útil. Ela nos fornece ar puro, frutos e sombra.

Para viver, necessita de ar, luz, calor, terra boa e água.

Falou também que, na primavera, as plantas se cobrem de flores.

No final, todos cantaram e um aluno plantou uma muda de ipê amarelo.

Foi uma linda festa!

ESTUDE:

fornece – provê, dá
necessita – precisa
primavera – estação das flores
útil – que tem serventia

Atividades

1 – Responda no caderno:

Onde estão reunidos os alunos?

O que eles estão fazendo?

De que necessita a planta para viver?

O que nos fornece a árvore?

---

2 – Copie no seu caderno substituindo as palavras grifadas por outras que dizem a mesma coisa:

A árvore tem **serventia**.

A árvore **fornece** frutos.

Ela **necessita** de água, luz e **calor**.

---

3 – Copie no caderno substituindo a ☆:

Primavera é tempo de ☆.

Todos os anos, no dia ☆ de ☆, festejamos o dia da ☆.

---

4 – Copie e complete com: ar er ir or ur .

☐ vore   diret ☐   ☐ mão   dout ☐

☐ mário   s ☐ vete   ☐ so   com ☐

5 – **Veja as QUALIDADES:**

nova
colorida
barata

sadio
quieto
baixo

marrom
novo
caro

importante
bonita
pequena

6 – **Faça os desenhos no seu caderno.**
   Escreva três qualidades para:

uma flor

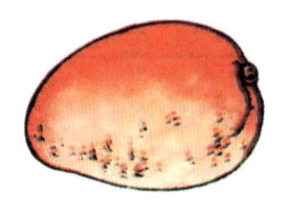

uma manga

7 – **Conte em seu caderno o que está acontecendo.**

Competição de bandas

Vai haver competição de bandas entre as escolas do bairro.
Fábio está muito animado.
Ele toca bumbo muito bem e está ensaiando todos os dias.
Chega da escola e começa:
— Bum, bum! Bum, bum!
Bebê pega seu tamborzinho e também bate:
— Tum, tum! Tum, tum!
Totó acompanha latindo:
— Au, au! Au, au!
É uma barulheira sem fim!

ESTUDE:

animado – alegre, empolgado
competição – desafio

Atividades

1 – Copie trocando as palavras grifadas pelos sinônimos:

Fábio está muito **animado**.

Ele vai tomar parte na **competição**.

---

2 – Responda:

O que vai haver entre as escolas do bairro?

Fábio também toca na banda?

O que ele faz quando chega da escola?

Bebê fica quieto?

E Totó?

---

3 – Leia a lição e copie no seu caderno ligando corretamente:

Fábio está muito	Bum, bum! Bum, bum!
Bebê pega seu	tamborzinho.
O Bebê toca:	animado.
Fábio toca assim:	Tum, tum! Tum, tum!

---

4 – Ordene as sílabas e forme palavras no seu caderno:

bor - tam	po - cam
ba - bom	po - tem

---

5 – Copie e complete no seu caderno:

Muito **trabalho** é uma **trabalheira**.

Muito **barulho** é uma ☆.

6 – Copie as palavras no seu caderno e complete com **m** :

ta☐bor   sa☐ba   bo☐
to☐bo   ta☐pa   be☐
po☐bo   te☐po   te☐
ta☐bém   ca☐po   bu☐
bo☐bom   bo☐ba   fi☐

Repare: Antes de **b** e **p** e no fim das palavras só se escreve **m** .

---

7 – Copie e escreva o contrário no seu caderno:

> Meu livro é **novo**.
> O seu é **velho**.

Este livro é caro.
Aquele outro é ☆.

A porta está aberta.
O portão está ☆.

Você falou muito.
Eu falei ☆.

---

8 – Crie uma história sobre o menino que tinha uma gaitinha.

Como se chamava o menino?
Onde ele arranjou a gaitinha?
Quem gostava de ouvir ele tocar?
Invente um nome para a história.

20

As laranjas

O dia estava quente.

Fábio sentiu vontade de tomar uma laranjada.

Foi ao pomar e subiu na laranjeira para apanhar umas laranjas bem madurinhas.

Bebê, que adora laranja-lima, pediu chorando:

— Dá... dá...

A laranja estava ácida e ele cuspiu fazendo caretas.

No sítio há muitas qualidades de laranjas: baiana, seleta, pera etc.

Elas fazem bem à saúde porque contêm vitaminas.

---ESTUDE:---
ácida – azeda
vitaminas – substâncias de certos alimentos, importantes para nossa saúde

Atividades

1 – Copie no seu caderno e complete:

Laranja **ácida** quer dizer laranja ☆.

Copie do livro o que quer dizer **vitamina**.

2 – Leia a lição e substitua no seu caderno a ☆ pela palavra correta:

O dia estava ☆.
Fábio subiu na ☆.
Bebê adora ☆.

3 – Faça os desenhos no seu caderno.
   Escreva três qualidades para:

laranja   folha

4 – Copie no seu caderno. Complete as palavras com n :

lara ☐ ja	que ☐ te	chora ☐ do
lara ☐ jada	se ☐ tiu	faze ☐ do
lara ☐ jeira	vo ☐ tade	ge ☐ te

5 – Responda no caderno:

Onde você mora?
Como é o lugar onde você mora?
Você gosta de morar nesse lugar? Por quê?
Com quem você mora?

Amigo fiel

Lá está o Totó junto ao canil, tomando sol.

Vigia a casa e, quando ouve barulho, late alto.

É amigo de Mimi, mas o terror dos gatos que aparecem no quintal.

Não gosta do Mico. O macaco provoca e, quando Totó late, salta para uma árvore, pondo-se a salvo.

Às vezes, o animalzinho está quieto, parecendo dormir. Mal Fábio assobia, dá um salto e vem numa disparada, com as orelhas em pé.

É um amigo fiel.

ESTUDE:

canil – abrigo de cães
fiel – verdadeiro
salvo – em lugar seguro
terror – pavor

Atividades

1 – **Copie as orações no seu caderno trocando as palavras grifadas pelo que querem dizer:**

Papai construiu um **canil**.
Totó é o **terror** dos gatos.
Paulo é um amigo **fiel**.

2 – **Copie no caderno e substitua a ☆ de acordo com a lição:**

Totó vigia a ☆.
É ☆ de Mimi.
Não gosta do ☆.
É um amigo ☆.

3 – **Copie no caderno e complete com atenção:**

Onde está o Totó?
O que ele faz quando ouve barulho?
O que acontece quando Fábio assobia?

4 – **Leia as ações:**

pescar			correr			rir

– 61 –

5 – Copie no seu caderno e complete com a **ação** correta:

segura   **come**   **olha**

O menino ☆ a banana.

A menina ☆ a boneca.

O gato ☆ o rato.

6 – Leia e copie as palavras no seu caderno:

mal	quintal	alto
sol	canil	salvo
fiel	salto	animalzinho
mel	animal	último

7 – Copie no seu caderno na ordem certa:

do Totó não Mico gosta .
Mimi do Totó amigo é .

8 – Responda no seu caderno:

Você tem um amigo?
Como ele se chama?
Por que você gosta dele?
De que vocês brincam?
Invente um nome para a sua história.

A manha de Bebê

— Ã... ã... ã...

Desde manhã Bebê está chorando.

Sua irmã Didi pergunta:

— Você quer tirar o casaco de lã?

— Ã... ã... ã...

— Você quer maçã?

— Ã... ã... ã...

Bebê vê a mamãe e fala:

— Mã... mã... mã...

Ele quer o colo da mamãe.

Bebê não é bobo!

Atividades

1 – Responda no seu caderno:

Quem chora desde cedo?
O que pergunta Didi?
O que quer o Bebê?
Como Bebê está chorando?

---

2 – Leia e copie no seu caderno:

lã — lãs

maçã — maçãs

irmã — irmãs

rã — rãs

---

3 – Copie no seu caderno e complete as orações:

A 🐸 está pulando.

Bebê tirou o casaco de 🧶 .

---

4 – Responda no seu caderno:

O que você vê no desenho?
Como ele se chama?
O que está acontecendo?

Jogando pião

Fábio é craque no jogo de pião.

Mas, quando joga com seu amigo Joãozinho, que é o campeão da rua, então perde.

João puxa a fieira e o pião roda rápido no chão.

Depois, pega-o na mão e na unha, sem parar de rodar.

Faz uma porção de piruetas malucas.

Quando Fábio e João apostam, a garotada fica em volta dando opinião e torcendo:

— Jo - ão! Jo - ão!

— Fá - bio! Fá - bio!

Poxa, que animação!

ESTUDE:

campeão – aquele que vence o jogo, a competição
craque – notável, ótimo
fieira – cordão para rodar o pião
piruetas – rodopios, reviravoltas

Atividades

1 – Leia:

O pião roda **rápido** no chão.

O pião roda **ligeiro** no chão.

Rápido é o mesmo que **ligeiro**.

As palavras que têm o mesmo significado chamam-se:

sinônimos

2 – Copie no seu caderno os sinônimos de:

craque   campeão   fieira

3 – Responda no seu caderno:

Em que Fábio é craque?

De quem ele perde?

O que faz João?

Como fica a garotada?

4 – Copie no seu caderno e complete como o modelo:

Um **garoto** e uma **garotada**.

Uma **bola** e uma ☆.

Uma **unha** e uma ☆.

Um **pau** e uma ☆.

5 – Leia e repare no "til" sobre o ã e sobre o õ :

o pião – os piões   o coração – os corações

o balão – os balões   a lição – as lições

6 – Copie no seu caderno, colocando o til ~ :

o piao   os pioes

o balao   os baloes

o coraçao   os coraçoes

7 – Vamos formar palavrinhas no seu caderno:

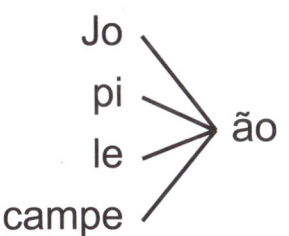

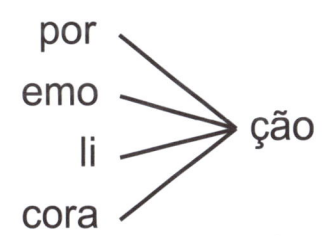

Jo, pi, le, campe ⟩ ão

por, emo, li, cora ⟩ ção

8 – Copie no caderno e substitua a ☆ pela palavra certa:

João rodou um pião.
João rodou dois ☆.

Ele desenhou um coração.
Eles desenharam dois ☆.

O botão de rosa está no vaso.
Os ☆ de rosa ☆ no vaso.

9 – Conte em seu caderno o que está acontecendo:

O gatinho e o gatão

Um gatinho e um gatão brincavam no portão da casa de Fábio.

De repente, o gatinho deu um arranhão no gatão.

Este pulou e deu um tapinha no gatinho.

Tanto fizeram que derrubaram o latão de lixo.

Fábio correu atrás deles com a vassoura da mamãe.

Os dois correram e sumiram na escuridão.

Atividades

1 – Copie no caderno substituindo a ☆ de acordo com a história:

Um gatinho e um ☆ brincavam no ☆.

O gatinho deu um ☆ no gatão.

O gatão deu um ☆ no ☆.

Eles derrubaram o ☆ de lixo.

---

2 – Leia:

a mãe – as mães
o cão – os cães
o pão – os pães
a mão – as mãos

---

3 – Copie no seu caderno completando:

Os 🌀🌀 estão nas ✋✋ dos meninos.

As 👩👩 são boas.

Os 🐕🐕 estão latindo.

4 – Complete com está **ou** estão **no seu caderno:**

A mãe de Fábio ☆ com Bebê no colo.

As mãos do menino ☆ sujas.

Fábio ☆ com roupa nova.

Aqueles cães ☆ no quintal.

Os pães ☆ na cesta.

---

5 – Leia:

gato

gatinho    gatão

---

6 – Copie e complete substituindo a ☆ :

Gato pequeno é ☆.   Gato grande é ☆.

Menino pequeno é ☆.   Menino grande é ☆.

Bola pequena é ☆.   Bola grande é ☆.

Olho pequeno é ☆.   Olho grande é ☆.

---

7 – Responda no seu caderno:

O que há na figura?

O que faz o gato?

O que faz o cachorro?

O que acontecerá?

O cachorro atacará o gato?

O desobediente

Fábio falou:

— Mamãe, vou tomar banho frio.

— Não faça isso, meu filho. Você está resfriado.

Mas ele desobedeceu.

À noite teve febre. Felizmente não foi grave, mas passou três dias de cama.

Os primos foram à sua casa.

As crianças pularam e brincaram no jardim com Bebê, Didi e Totó.

Lá ficou ele, trancado no quarto, com os olhos cheios de lágrimas.

---ESTUDE:---
felizmente – por sorte
grave – perigoso

Atividades

1 – **Leia e copie as orações no caderno, trocando as palavras grifadas pelos sinônimos.**

Luís escorregou, mas **felizmente** não caiu.

Gripe não é doença **grave**.

2 – **Copie no caderno e complete substituindo a ☆:**

O nome da lição é ☆.

3 – **Responda no seu caderno:**

O que aconteceu a Fábio? Por quê?
Quem foi à sua casa?
O que as crianças fizeram?
Fábio também brincou? Por quê?
Você acha que ele ficou de castigo?

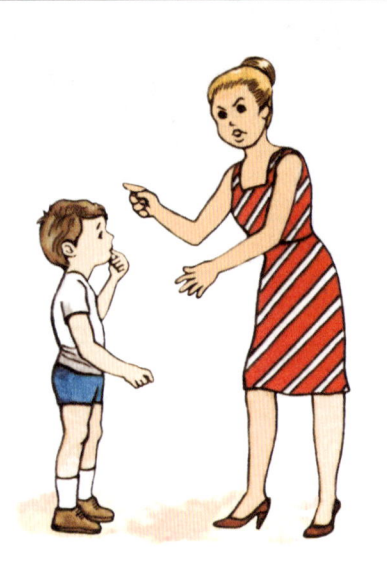

4 – **Copie as palavras no caderno e escreva a primeira sílaba, como no modelo:**

braço – bra

cravo   prego
grito   trabalho
fruta   broto
dragão   bruto

5 – Leia:

vovô   vovó

Você viu que o acento [^] fecha o som do [ô] .

Coloque acento [^] **nas palavras:**

trico   –   bisavo   –   alo

O acento [′] abre o som do [ó] .

Coloque o acento [′] **nas palavras:**

cipo   –   xodo   –   jilo

6 – Escreva no seu caderno palavras com:

(br)   (cr)   (tr)

(pr)   (gr)   (fr)

7 – **Conte no seu caderno a história de uma menina teimosa:**

Seu nome.

O que ela fez.

Com quem teimou.

O que aconteceu.

Dê um nome à sua história.

Passeio ao clube

Fábio e Didi foram ao clube.

A menina pôs o vestido florido e Fábio vestiu o blusão de flanela.

Didi encontrou duas colegas de sua classe: Glorinha e Clarinha.

Elas estavam passeando de bicicleta. Convidaram Didi para brincarem juntas nas alamedas cheias de flores.

Fábio foi ver um atleta treinar salto em altura.

ESTUDE:

alameda – rua ou avenida margeada de árvores
atleta – pessoa que pratica esportes
flanela – tecido quentinho, de algodão ou lã

Atividades

1 – Copie e responda no seu caderno:

Você sabe como se chama uma pessoa que pratica esportes?

Qual o nome de uma rua ou avenida margeada de árvores?

---

2 – Copie e substitua a ☆ por palavras da lição:

Fábio e Didi foram ao ☆.

A ☆ pôs o vestido florido.

Fábio vestiu o ☆ de flanela.

Didi encontrou duas colegas de sua ☆.

Elas estavam passeando de ☆.

---

3 – Copie as orações no seu caderno. Complete-as com a ação correta:

| encontrou | vestiu | foram | treinou |

Fábio ☆ o blusão de flanela.

O atleta ☆ salto em altura.

Didi ☆ duas colegas.

Fábio e Didi ☆ ao clube.

---

4 – No seu caderno, separe e junte as sílabas das palavras. Veja o modelo.

| flores – flo - res – flores |

flanela –

bicicleta –

5 – Leia:

pá	pé	bebê
chá	café	ipê
fubá	picolé	você

Repare: O acento ´ abre o som do á e do é .

O acento ^ fecha o som do ê .

---

6 – Copie e coloque acento ´ e ^ nas palavras:

bone	nene	sabia
ma	chule	mes

---

7 – Copie as orações e complete as palavras com l :

P☐ínio foi ao c☐ube.

Levou sua irmã C☐arinha.

P☐ínio vestia um blusão c☐aro.

A menina tinha um vestido f☐orido.

Quando viram a piscina, correram.

Jogaram a bola na água.

Ela ficou boiando.

---

8 – Conte no seu caderno um passeio que você fez.

Aonde foi.

Quando foi.

Com quem foi.

Como terminou o passeio.

Os desenhos de Fábio

Didi olha os desenhos de Fábio.
Os mais bonitos são:
    uma fogueira;
    uma guitarra;
    um guizo;
    um galho de pessegueiro;
    um guarda-chuva aberto;
    um foguete indo para a Lua.
Fábio é cuidadoso. Ele guarda o caderno, o lápis, a borracha e a régua na gaveta da mesa.
Alguém pode rasgar as folhas.

---ESTUDE:---

guizo – tipo de chocalho, geralmente pequeno e de metal

Atividades

1 – Copie e substitua a ☆ por uma palavra da lição:

Fábio é ☆.
O guarda-chuva está ☆.
Alguém pode rasgar as ☆.
O foguete vai para a ☆.
Didi olha os ☆ de Fábio.

---

2 – Copie as palavras completando com:

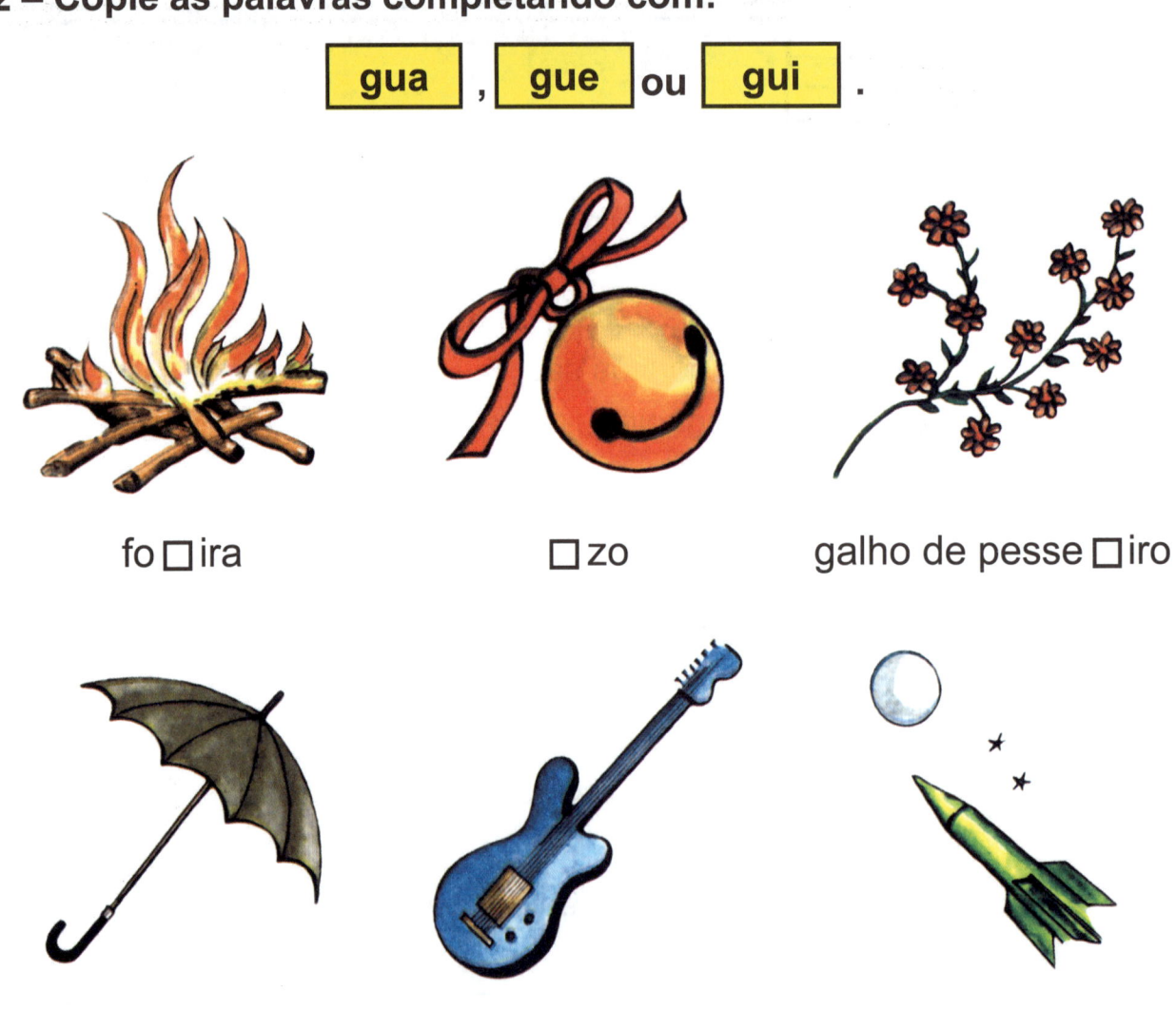

gua , **gue** ou **gui** .

fo ☐ ira   ☐ zo   galho de pesse ☐ iro

☐ rda-chuva   ☐ tarra   fo ☐ te

3 – Copie no caderno substituindo a ☆, de acordo com o modelo:

O fogo e o foguinho

O figo e o ☆.　　　　O amigo e o ☆.
O lago e o ☆.　　　　O colega e o ☆.
O prego e o ☆.　　　　A espiga e a ☆.
O jogo e o ☆.　　　　A formiga e a ☆.

---

4 – Copie no seu caderno. Complete com **é** ou **são** :

Esta régua ☆ minha.
Aqueles guarda-chuvas ☆ novos.
João ☆ amiguinho de Fábio.
Meus coleguinhas ☆ educados.
Estes formigueiros ☆ pequenos.

---

5 – Escreva orações com as palavras **foguete** e **fogueira**.

---

6 – Conte uma história sobre o desenho:

Corrida de patins

Fábio ganhou uns patins muito bons.

No mesmo instante pôs-se a andar com eles.

Mas caía constantemente.

A traseira das calças ficou daquele jeito!

Treinou alguns dias com o colega Constantino.

Transformaram a calçada em pista de corridas.

O pai de Fábio disse:

— Meninos, vão brincar no jardim.

Vocês podem machucar alguém.

---ESTUDE:---

constantemente – sempre
no mesmo instante – no mesmo momento

Atividades

1 – Copie trocando as palavras em negrito pelos sinônimos:

Constantino caía **constantemente**.

Ele se levantou **no mesmo instante**.

---

2 – Responda no seu caderno:

O que Fábio ganhou?

Com quem ele treinou?

Onde foi o treino?

---

3 – Copie o que disse o pai de Fábio.

---

4 – Leia e copie as palavras no seu caderno:

Constantino	instante	uns
constantemente	bons	alguns
transformou	bombons	patins

---

5 – Copie no seu caderno e passe para o plural:

um bombom   uns ☆

um patim   uns ☆

um pudim   uns ☆

---

6 – Luís correu... seu boné caiu no chão.

Escreva contando o porquê.

Vida no sítio

— Piu! Piu! Piu!

São cinco horas da manhã.

É muito cedo, mas Dona Cecília, a mãe de Fábio, já está dando comida às aves.

São mais de cem, entre patos, frangos e galinhas, sem contar os pintinhos.

Agora ela vai cuidar de seus sete coelhinhos.

Dá-lhes alface, couve e cenouras que leva numa cesta. Depois muda a água do bebedouro em que eles matam a sede.

Dona Cecília não gosta da vida na cidade.

Toda semana, quando a família segue para o sítio, fica muito contente.

Lá é melhor para a saúde e mais sossegado.

---- ESTUDE: ----
sossegado – quieto, calmo, tranquilo

Atividades

1 – Responda no seu caderno:

Dona Cecília prefere viver na cidade ou no sítio?

Por quê?

A que horas ela se levanta?

Para quê?

Quantas aves há no sítio?

O que comem os coelhinhos?

2 – Estude e copie no seu caderno:

sem	cem (100)
seus	cenoura
sete	cesta
sede	cedo
semana	cidade
segue	cinco
sítio	Cecília

3 – Copie e escreva no seu caderno o contrário de:

cedo   contente   alto   não

4 – Copie as palavras em colunas, separando as que pertencem a:

planta	animal	pessoa
cabelo	coleira	espiga
asa	flor	colar
folha	livro	ninho

5 – Dois mosquitos se encontraram na ponta de um nariz.

Escreva o que aconteceu.

As gêmeas

Na classe de Didi há duas irmãs gêmeas.
Toda a gente as confunde. Até a mãe delas.
Às vezes ela fala:
— Geni, coma jiló. Sei que você gosta.
— Eu não sou a Geni. Sou a Genoveva, mamãe.
A senhora sabe que eu detesto jiló.

* * *

Hoje elas fazem aniversário.
Geni ganhou um relógio e Genoveva uma girafa de pelúcia.
À noite vai haver festa com bolos, geleias e bebidas geladas.
O tio Jerônimo foi convidado para fazer a mágica do coelho e a da jiboia de papel.
Pelo jeito, vai ser divertido.

ESTUDE:

confunde – não diferencia
detesto – não gosto de
divertido – engraçado
jiboia – grande cobra

Atividades

1 – Copie e troque as palavras grifadas pelos seus sinônimos:

Paulo **confunde** o nome das ruas.

Que palhaço **divertido**!

Eu **detesto** dormir tarde.

---

2 – Copie e responda no seu caderno, substituindo a ☆.

Quem sou eu?

Eu não gosto de jiló.

Ganhei uma girafa de presente.

Eu sou a ☆.

Eu gosto de jiló.

Ganhei um relógio.

Eu sou a ☆.

3 – Copie as palavras no seu caderno:

jiló	gêmeas	relógio
jiboia	geleias	girafa
jeito	gelo	gemada
hoje	geladas	Geni
Jerônimo	gente	Genoveva

---

4 – Leia e pense:

Aqui está o palhaço Pipoca.

Ele é muito engraçado.

Escreva três coisas que ele sabe fazer.

31

Passarinho assobiador

O passarinho assobiador morava num lindo pessegueiro. Ali vivia sossegado, assobiando e bicando os pêssegos madurinhos.

O gato do vizinho passava horas espiando para agarrá-lo e assustá-lo.

Certo dia, assim que o pássaro foi ao chão para apanhar bichinhos, deu um salto sobre ele. A avezinha voou assustada e o gato bateu com o focinho numa pedra.

Atividades

1 – Responda no seu caderno:

Onde morava o passarinho assobiador?

Como vivia ele?

O que queria o gato do vizinho?

Ele conseguiu agarrar o passarinho?

Por quê?

2 – No seu caderno, copie as palavras e separe as sílabas. Veja o modelo:

pêssego – pês - se - go

osso	assado
tosse	sossego
massa	pássaro

3 – Copie as palavras no seu caderno, completando com ss :

o □ o   pa □ eio   to □ e

a □ obio   a □ im   mi □ a

pê □ ego   a □ ustada   ma □ a

so □ egado   pá □ aro   pa □ ava

4 – Escreva no caderno três orações sobre o pombo.

As roseiras de Dona Cecília

O jardim da casa de Fábio é bonito. Ali há muitas roseiras.

Todos os dias ele colhe algumas rosas. Corta-as com uma tesoura afiada e as coloca num vaso azul, no centro da mesa da sala.

Ele pediu à Dona Cecília:

— Mamãe, posso fazer um ramalhete para oferecer à Dona Augusta, minha professora? Ela gosta muito de flores.

— Pois não, meu filho. Leve rosas vermelhas, que são as mais bonitas.

ESTUDE:
ramalhete – ramo

Atividades

1 – Responda no seu caderno, copiando as perguntas:

Quem é Dona Cecília?

Quem colhe rosas no jardim?

O que faz com elas?

2 – Copie a pergunta de Fábio e a resposta da mamãe.

3 – Copie as palavras no seu caderno, completando com **s** :

ro ☐ eira   te ☐ oura   a ☐ a

ro ☐ as   va ☐ o   pe ☐ o

ca ☐ a   cami ☐ a   me ☐ a

4 – Veja o modelo e copie substituindo a ☆.

rosa pequena é **rosinha**

mesa pequena é ☆   **asa** pequena é ☆

casa pequena é ☆   **vaso** pequeno é ☆

tesoura pequena é ☆   **peso** pequeno é ☆

5 – Didi foi ao jardim. Conte o que ela viu e o que fez.

Ida à cidade

A família não pôde ir ao sítio no sábado, porque choveu muito.

Seu Chico, o caseiro, vai à cidade.

Ele não é moço, mas gosta de levantar-se bem cedo.

Põe um chapéu de palha na cabeça e o lenço vermelho no pescoço.

Arreia o burro na carroça e vai à casa de Fábio e de Didi.

Leva maços de verduras, legumes e frutas para o almoço.

Pergunta por todos. Não se esquece nem do caçula: o Bebê.

Seu Chico é muito educado.

ESTUDE:

caseiro – pessoa que toma conta de sítio, de casa de campo

Atividades

1 – Copie no seu caderno e complete corretamente:

   Caseiro é a pessoa que ☆.

---

2 – Responda no seu caderno:

   Quem é Seu Chico?
   Aonde ele vai?
   O que ele põe na cabeça?
   E no pescoço?
   O que vai fazer na cidade?

---

3 – Leia:

   Moço, **caçula** e **laço** têm cedilha, você viu?
   Nas sílabas **ce** e **ci**, não coloque nunca, ouviu?

---

4 – Leia e copie substituindo a ☆.

   Repare: a sílaba ci não tem cedilha.

   > O **moço** e o **mocinho**.
   > O **pedaço** e o **pedacinho**.

   O **poço** e o ☆.   A **cabeça** e a ☆.
   O **caroço** e o ☆.   A **fumaça** e a ☆.
   O **pescoço** e o ☆.   A **carroça** e a ☆.
   O **beiço** e o ☆.   A **calça** e a ☆.

   Você viu que as palavras terminadas em ça e ço fazem o diminutivo em: **cinha** e **cinho**.

5 – Copie colocando: c ou ç . Olhe na lição.

Logo ☐edo Seu Chico vai à ☐idade.
Ele não é mo☐o.
Põe o chapéu na cabe☐a e o len☐o no pesco☐o.
Arreia o burro na carro☐a.
Na carro☐a leva ma☐os de verduras, legumes e frutas para o almo☐o.
Pergunta por todos. Não se esque☐e nem do ca☐ula: o Bebê.

---

6 – No seu caderno, separe e junte as sílabas das palavras. Veja o modelo:

| palhaço – pa - lha - ço – palhaço |

cabeça
caçula
caroço
pescoço
calça

7 – Escreva orações bem bonitas sobre os desenhos:

Lendo histórias

Hoje Dona Helena foi à horta.

Ali há várias hortaliças: nabos, cenouras e alfaces.

Ela colocou algumas numa cesta. Não se esqueceu de apanhar folhas de hortelã para o chá do vovô Hugo.

São nove horas da manhã.

O bom homem está sentado na rede, lendo histórias de nossa terra.

A rede vai...

A rede vem...

Os olhos fecham e o vovô pega no sono.

ESTUDE:

hortaliças – verduras

Atividades

1 – Copie e complete no seu caderno:

Hortaliças quer dizer ☆.

---

2 – Copie e responda no seu caderno:

O que há na horta?

De que não se esqueceu a vovó?

Onde está o vovô?

Que horas são?

---

3 – Procure na lição as palavras que começam com `h`.

Copie e complete as palavras dos barquinhos.

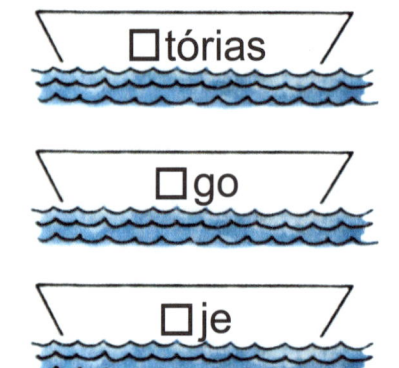

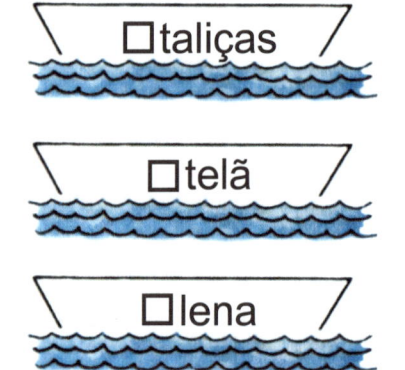

☐ta	☐tórias	☐taliças
☐ras	☐go	☐telã
☐mem	☐je	☐lena

---

4 – Copie as orações substituindo a ☆ por qualidades:

Nestor era um homem ☆.

Eu li uma história ☆.

---

5 – Copie e escreva no seu caderno o contrário de:

| pobre | fraco | duro | estreito |

6 – As orações abaixo terminam com ponto final: . .

| Afirmando | Negando |

Dona Helena foi à horta.   Hoje não vou à cidade.
São nove horas da manhã.   O vovô não leu o livro.
O vovô pegou no sono.   A família não foi ao sítio.

Escreva orações, usando ponto final, com a palavra histórias :

Afirmando   Negando

---

7 – Invente, no seu caderno, nomes próprios para:

um homem    uma cabra    uma boneca

---

8 – Copie e complete as orações com tem ou têm :

Luiz **tem** um periquito verde.
Os meninos **têm** pouco dinheiro.
Lúcia e Zequinha ☆ boas notas.
Juca ☆ uma bola de borracha.
Dona Maria e seu José ☆ três filhos.
Minha irmã ☆ uma boneca.

---

9 – Forme no seu caderno orações com as palavras:

contente   pequeno   gostoso   legal

O aniversário da vovó

— Táxi! Táxi!

Mamãe foi à cidade comprar um presente.

No domingo será o aniversário da vovó.

Mamãe ficou perplexa com os preços, mas comprou um sapato bem bonito.

Vovó vai gostar do presente.

Ela é sexagenária, pois completa sessenta anos.

Toda a família vai se reunir para festejar a data.

---ESTUDE:---

festejar – fazer festa a algo ou alguém
perplexa – espantada
sexagenária – pessoa que faz 60 anos

Atividades

1 – Complete no seu caderno:

Mamãe ficou ☆.

---

2 – Copie e complete as orações com a palavra certa:

Mamãe foi à cidade de ☆.

| ônibus | táxi | a pé |

Os preços deixaram mamãe ☆.

| perplexa | irritada | triste |

Quem é sexagenário completa ☆.

| 40 anos | 50 anos | 60 anos |

---

3 – Copie e escreva no seu caderno o contrário de:

| noite | quente | bom | alto |

---

4 – Quando perguntamos, usamos este sinal ? .

Aonde vai a mamãe?

Quantos anos faz a vovó?

Escreva uma oração **perguntando** com a palavra: táxi .

---

5 – O menino viu dois passarinhos no ninho.

Escreva o que ele disse.

Fim de ano

O fim do ano está próximo e os alunos preparam-se para as provas.

Fábio está estudando. Quer passar com boas notas.

A mamãe aproximou-se e perguntou:

— Você precisa de auxílio, meu filho?

— Não, mamãe. Eu trouxe emprestado um livro muito bom de um colega. Já recordei todas as lições.

---ESTUDE:---
aproximou-se – chegou perto
auxílio – ajuda
próximo – perto de

Atividades

1 – Copie trocando a palavra grifada pelos sinônimos:

Fábio pediu **auxílio** a um colega.

A escola fica **próxima** daqui.

O moço **aproximou-se** da namorada.

---

2 – Responda no seu caderno:

Por que Fábio está estudando?

O que a mamãe perguntou a ele?

---

3 – Copie da lição as orações em que apareçam as palavras:

auxílio   próximo

trouxe   aproximou-se

---

4 – Quando nos admiramos ou nos espantamos com alguma coisa, usamos este sinal　!　.

Como Fábio está estudando!

Que lição difícil!

Escreva uma oração **admirando-se** ou **espantando-se** com as palavras:

　　　livro　　　　　　　　　mamãe

---

5 – Escreva no seu caderno, se você tivesse um cavalinho:

Que nome você lhe daria?　　Onde iria passear com ele?

De que o alimentaria?　　　À noite onde ele ficaria?

37

Exposição

As aulas acabaram sexta-feira.

Houve exposição de desenhos na escola.

Todos os alunos e seus parentes foram visitá-la.

Fábio e Didi também estiveram lá.

— Que desenhos lindos! – exclamou a menina.

— Estes são os meus – explicou Fábio.

— E os outros?

— São de meus colegas e de alunos de outras classes.

ESTUDE:

exposição – lugar onde se mostram coisas ao povo

Atividades

1 – Leia a lição e responda no seu caderno:

Quando acabaram as aulas?

O que houve na escola?

Quem foi à exposição?

---

2 – Copie substituindo a ☆ pelo dia da semana que falta:

Os dias da semana são:

    domingo

    segunda-feira

    terça-feira

    quarta-feira

    quinta-feira

    ☆

    sábado

---

3 – Leia:

Quando fazemos uma pausa rápida entre as palavras da oração, usamos este sinal: , .

Os meninos, as meninas, os pais e os professores foram ver a exposição.

Mamãe comprou bananas, uvas, laranjas e abacates.

---

4 – Copie e coloque os sinais de pontuação que faltam:

Fábio desenhou uma fogueira um avião um navio e um foguete

**5 – Copie a lição grifando as palavras em que aparece o x .

38 — O rato atrapalhado

Um rato que andava
passeando na estrada,
tropeçou bem feio
numa pedra ali no meio.

Ele caiu de costas no chão
e sentiu vergonha da confusão.
"Sou muito atrapalhado!
Preciso estar mais preparado."

Teve uma ideia incrível:
fazer exercício é a solução.
Torna forte e saudável
e ajuda na concentração.

Que belo exemplo
aos bichos vai dar!
Vai ter mais cuidado
e aos outros incentivar!

Um plano de exercícios
vai executar.
Inicia as atividades
e, sem esperar,

surgem os amigos
a lhe acompanhar,
todos bem contentes
juntos a se exercitar!

ESTUDE:

concentração – ato de prestar muita atenção
executar – fazer, pôr em prática
exercitar-se – fazer alguma atividade
incentivar – animar, encorajar

Atividades

1 – Responda no seu caderno:

    Qual o personagem da poesia?

    Por onde andava ele?

    O que aconteceu enquanto ele andava?

---

2 – Copie em seu caderno o versinho que fala da ideia do rato.

---

3 – Complete em seu caderno, substituindo a ☆ :

    O rato vai fazer ☆.

    Ele vai ter mais ☆.

---

4 – Forme orações no seu caderno com a palavra exercício :

    afirmando

    negando

    perguntando

    admirando

---

5 – Copie e complete em seu caderno, escrevendo x :

    e ☐ ercício   e ☐ ecutar   e ☐ emplo

---

6 – Desenhe o rato em seu caderno, como contam as duas últimas estrofes da poesia.

O pintinho

Toc, toc, toc...

A casca do ovo quebra-se e o pintinho nasce. É amarelinho como uma bola de ouro.

Mal seguro nas perninhas, tenta os primeiros passinhos.

— Piu! Piu! Piu!

Vem aqui, mamãezinha, vem me ajudar!

— Có, có, có...

Cuidado! Cuidado! – responde a mamãe choca. E corre em seu auxílio.

O pintinho vai crescendo. As penas vão surgindo e uma enorme crista vermelha aparece no alto da cabeça. Aos poucos ele se transforma num lindo galo.

Orgulhoso canta:

— Qui, qui, ri, qui!

Quem manda aqui?

O rei do galinheiro!

ESTUDE:

auxílio – ajuda
enorme – muito grande
surgindo – aparecendo
tentar – experimentar
transforma – muda

Atividades

1 – Copie as orações mudando as palavras grifadas pelos sinônimos:

   Você precisa de **auxílio**?
   Paulinho comprou uma bola **enorme**.
   O Sol vem **surgindo** atrás do morro.
   Vou **tentar** abrir a porta.
   O pintinho se **transformou** em galo.

2 – Responda no seu caderno:

   De que cor é o pintinho?
   Quem ele chama para ajudá-lo?
   Como responde a mamãe choca?
   O que aparece no alto da cabeça do pintinho?
   Quem é o rei do galinheiro?

3 – Copie no seu caderno e estude as palavras:

   nasce   cresce   desce
   nasceu   cresceu   desceu
   nascer   crescendo   descer

4 – Copie e complete a atividade no seu caderno:

   É hora do almoço.   Eu vou almoçar.
   É hora da janta.   Eu ☆.
   É hora do brinquedo.   Eu ☆.
   É hora do estudo.   Eu ☆.

5 – Copie em seu caderno:

O barulho da casca do ovo.

A voz do pintinho.

A voz da galinha.

Como canta o galo.

---

6 – Todos vão ficar pequenos.

Copie no seu caderno e continue como os modelos:

| **passo – passinho** | **mamãe – mamãezinha** |

amarelo –   papai –
gelo –   irmão –
perna –   vovó –

---

7 – Veja o que está acontecendo. Invente uma história.

– 106 –

Os três porquinhos

Era uma vez três porquinhos.

O primeiro viu um monte de palhas e com elas fez sua casa.

À noite veio um lobo feroz. Soprou tanto que a palha se espalhou, mas o porquinho conseguiu fugir.

O segundo encontrou uns paus e com ele fez sua casa.

Veio o lobo, soprou, soprou. Os paus caíram, mas o animalzinho escapou depressa.

O terceiro porquinho era esperto. Viu uns tijolos e com eles fez sua casa.

Veio a fera, soprou, soprou, mas desta vez a casa não caiu.

Muito zangado, o lobo foi-se embora e os porquinhos viveram em paz.

---ESTUDE:---
fera – animal bravio que ataca outros animais
feroz – selvagem, bravio

Atividades

1 – Copie as orações mudando as palavras grifadas pelos sinônimos:

    O lobo era **feroz**.

    A **fera** derrubou a casa de palha.

---

2 – Copie as perguntas e responda no seu caderno:

    De quem fala a história?

    O que fez o primeiro porquinho?

    O que fez o segundo?

    O que fez o terceiro?

    Qual era o porquinho mais esperto?

---

3 – Copie no seu caderno a oração que fala da noite.

---

4 – Estude e copie as palavras no seu caderno:

    paz   vez   fez   infeliz   feroz

---

5 – Leia e copie no seu caderno:

rapaz – rapazes	luz – luzes
cartaz – cartazes	voz – vozes
vez – vezes	raiz – raízes
nariz – narizes	feroz – ferozes
feliz – felizes	juiz – juízes

6 – Releia a atividade número 5.

Copie no caderno e complete corretamente:

O leão é **feroz**.
Os leões são ☆.

A árvore tem **raiz**.
As árvores têm ☆.

O **rapaz** acendeu uma **luz**.
Os ☆ acenderam duas ☆.

7 – Copie e coloque pontuação onde for necessário:

— Você conhece o Bebê

— Que menino levado

— Ele jogou a chupeta o chocalho o chinelo e o chapéu pela janela

8 – Leia na página seguinte a lição "Férias".

Agora responda no caderno:

Você gosta de brincar?
Onde costuma brincar?
Brinca sozinho ou com alguém?
Brinca de quê?
Prefere brinquedos feitos por você ou comprados?
Por quê?

9 – Faça os desenhos no seu caderno e escreva os nomes:

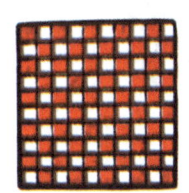

Férias

As férias chegaram.
Que bom!
Vocês se esforçaram tanto!
Leram... desenharam...
Contaram... brincaram...
Bem que merecem descansar!

Agora, sim.
É só pensar em brincar:

    de pega-pega;
    de esconde-esconde;
    de jogar bola;
    de pular corda;
    de amarelinha;
    de apostar corrida;
    de ler histórias;
    ou não fazer nada...

Fábio, Didi, Bebê e toda a família gostaram de sua companhia.
Eles lhe desejam...
    boas férias!

Referências

ALMEIDA, Napoleão Mendes de. *Gramática Metódica da Língua Portuguesa*. 33. ed. São Paulo: Saraiva, 1985.

BACHA, Magdala Lisboa. *Leitura na Primeira Série*. Rio de Janeiro: Ao Livro Técnico S.A., 1969.

CASASANTA, Teresa. *Criança e Literatura*. Belo Horizonte: A Grafiquinha Editora, 1968.

FERREIRA, Aurélio Buarque de Holanda. *Novo Dicionário da Língua Portuguesa*. 1. ed. Rio de Janeiro: Nova Fronteira S.A., (1975/1986).

LIMA, Branca Alves de. *Cartilha "Caminho Suave"*: renovada (manual do professor). 2. ed. São Paulo: Editora "Caminho Suave" Ltda., 1984.

SÃO PAULO (Estado). Secretaria da Educação. Coordenadoria de Estudos e Normas Pedagógicas. *Revendo a proposta de alfabetização*. São Paulo: SE/CENP, 1985. 93 p. (Projeto Ipê – Ciclo básico). (Org. Elba Siqueira de Sá Barreto e Marília Claret Geraes Duran).